Nadir

Nadir
Laura Fusco

Translated by
Caroline Maldonado

Smokestack Books 2022
1 Lake Terrace, Grewelthorpe,
Ripon HG4 3BU
e-mail: info@smokestack-books.co.uk
www.smokestack-books.co.uk

First published in a French edition
as *Nadir* (Éditions Unicité, 2020).

ISBN 978-1-8384653-4-6

Smokestack Books
is represented
by Inpress Ltd

La poésie de Laura Fusco n'est pas aimable

Laura Fusco's poetry is not likeable.
It is not pretty.
It is not gentle.
It is not comfortable.
She does not caress the reader.
She is not polite.
This is poetry said with pebbles in her mouth,
        salt, shards of glass. It flays. It is painful.
It is inappropriate.
It is disturbing.
Laura Fusco's poetry tells the world
        what the world doesn't want to say.
It speaks of our ruptures, our closed eyes, our closed hearts,
        our inept laws, our silences, our broken promises,
        our turned backs.
Laura Fusco's poetry is political, because the word political
        no longer means anything in the mouths
        of our politicians.
It is deeply, viscerally, tragically human. It tells us about
        women, men and children who could be ourselves,
        but whom we don't want to recognise.
Laura Fusco's poetry reminds us of our human
        responsibilities, throwing them in our faces.
It is intended to slap us, scratch us, shake us.
Her poetry seems simple, and because it is clear
it casts light on what we should be.

Philippe Claudel

Indice

Contents

Vogliamo solo passare

Come se fosse poco quando si è in migliaia.
Non è politica è aritmetica.
Non sono immigrati.
Non sono rifugiati.
Non sono clandestini.
Sono bambini
Dice qualcuno.
E: i bambini sono tutti uguali.
Non è vero che sono tutti uguali.
Non è vero che non sono clandestini.
E a volte neppure
che sono più bambini.

We only want to pass

As if it were nothing when there are thousands.
It isn't political it's maths.
They aren't immigrants
They aren't refugees
They aren't clandestine
They are children
someone says.
And: *children are all the same*
It's not true they are all the same
It's not true they aren't clandestine.
And sometimes not even
that they are still children.

Carta dei diritti dei bambini

Avere 1 anno.
Avere 1 anno a 1 anno.
Con quello che si deve avere e fare a 1 anno.
Avere 5 anni.
Avere 5 anni a 5 anni.
Con quello che si deve avere e fare a 5 anni.
E 6 a 6.
Che sia inimmaginabile
che si possa e debba stilare un elenco di quello che devono avere.
E di quello che non devono subire.
Sapere che quello che immaginano sarà loro.
(Ma questo è già così
anche se non sembra).

Children's Charter of Rights

To be 1 year old.
To be 1 at 1.
With whatever one should have and do at 1.
To be 5 years old.
To be 5 at 5.
With whatever one should have and do at 5.
And 6 at 6.
It should be inconceivable
that one can and must draw up a list of what they ought to have.
And what they should not endure.
To know that what they imagine will be theirs.
(But it's already like that
even if it doesn't seem so).

Imagine

Un serpente ocra e oro, rosso rosa fucsia,
arancio, giallo, verde, celeste, indaco, violetto.
Veloci come nuvole, scie coloratissime.
Nessun muro ce la farà.
Quando devono stare fermi in un metro quadrato di febbre o
sulla branda si annoiano
chiudono gli occhi e immaginano.
Quando hanno mal di pancia, gli incubi, paura
o sono arrabbiati
si girano dall'altra chiudono gli occhi e immaginano.
Tra il loro immaginare e la realtà
c'è uno spazio che conoscono e percorrono senza fermarsi,
anche quando non fanno nulla,
anche quando non lo sanno e piangono o giocano o hanno solo
paura.
Dopo tanti passi
adesso che sono a un passo da
nessun muro ce la farà.
Anche se la loro lotta è impari
il loro immaginare
ocra d'oro rosa rosso fucsia arancio
è più reale di qualsiasi potere
e di chi scrive *Hanno istinti suicidi, incubi continui.*
A volte considerano normale
la violenza. La imparano per farla.
Diventeranno insensibili al dolore,
abuseranno di droghe e farmaci, abuseranno.
Qualcuno muore o si perde immaginando,
come i passeurs sui valichi delle montagne,
perché immaginare è il loro valico
e per questo è loro
il mondo.

Imagine

An ochre and gold snake, red pink fuchsia,
orange, yellow, green, light blue, indigo, violet.
As fast as clouds, highly-coloured contrails.
No wall will do it.
When they have to keep still in a square metre of fever or
on the cot they get bored
close their eyes and imagine.
When they have stomach-ache, nightmares, are frightened
or angry
they turn away from each other, close their eyes and imagine.
In between what they imagine and reality
there's a space they know and run towards without stopping,
even when they're doing nothing,
even when they don't know it and cry or play or are just afraid.
After so many steps
now that I'm only one step away from
No wall will do it.
Even if their struggle is imagined.
Gold ochre pink red fuchsia orange
is more real than any power
more than any person who writes *They have suicidal instincts,*
continual nightmares.
Sometimes they consider violence
normal. They learn it to enact it.
They'll become insensitive to pain,
They'll abuse drugs and medicines, they will abuse.
Someone dies or gets lost in their imagining
like the *passeurs* on their mountain crossings,
because to imagine is their crossing
and that's the reason the world
is theirs.

Lì l'unica tempesta è il dubbio che il sogno non abbia potere su
        quello che vedono,
e sentono,
e toccano,
ma loro lasciano ai grandi l'illusione che sia più vero un campo
della storia che stanno scrivendo mangiando, dormendo,
aspettando, pensando.
Spazi e tempi che non ci sono ancora si aprono per farli passare
e per farli passare esistono e si aprono ad altro esistere.
Ocra d'oro rosso rosa fucsia arancio...

There the only storm is the doubt that dreaming might not have
        power over what they see
and feel
and touch
but they leave to grown-ups the illusion that a camp is more real
than the story they are writing, eating, sleeping, waiting for,
thinking.
Spaces and times that aren't there yet open up for them to pass
and exist for them to pass and open towards another way of existing.
Gold ochre red pink fuchsia orange...

Notte

E' seduto sul fiore di loto arancio del copriletto.
La sua mamma ha 16 anni ma lui non sa contare.
Per lui è la sua mamma ma stamattina lei è in una coperta d'oro
e ha gli occhi chiusi.
Sua sorella piange.
Lui non vuole piangere.
Non vuole guardarla.
Meglio giocare.

Night

He's sitting on the orange lotus flower on the bedspread.
His mother is 16 but he can't count.
For him she's his mother but this morning she's under a gold cover
and her eyes are closed.
Her sister's crying.
He doesn't want to cry.
He doesn't want to look at her.
Better to play.

Inizio del viaggio

L'ultima volta hanno guadagnato 208.000 punti.
E servendosi della loro Arte superiore e di tutti i crediti
potrebbero ordinare al ragno di tornare nella sua tela e
        obbedirebbe all'istante,
correrebbe via e scomparirebbe in una crepa del pavimento.
Peccato che non c'è campo,
che possono giocare solo quando riescono a acciuffare il
telefonino,
pochissime volte,
che il ragno è vero e non si sogna di correre via e gli fa schifo,
che hanno paura e è appena iniziata una notte
che durerà tantissimo.

Durante le tue avventure
il viaggio è rapido e finora ce l'hai fatta usando tutte le risorse,
ma su di te grava il ricordo dei compagni che hai perduto durante
        la missione:
non riesci a addormentarti,
perdi 2 punti di Resistenza
Però hai trovato un Cristallo Splendente.
Serve per distruggere il cancello,
ma soltanto se lanciato in un altro piano d'esistenza
rilascerà il suo potere.
Devi lanciarlo
nel cancello dell'ombra
e balzare oltre i pannelli infranti.
Se vinci vai al 69.
Se non vinci ma hai l'arte della Guarigione
vai al 199
Se no scegli un numero a caso.
Dalla tabella del Destino.

The start of the journey

Last time they earned 208,000 points.
And making use of their superior Art and all the credits
they could order the spider to return to its web and it would
        immediately obey
run away and disappear into a pavement crack.
Pity that there's no space
that they can only play when they manage to nick a mobile,
so rarely,
that the spider is real and wouldn't dream of running away and it
disgusts them,
that they are frightened and a night has hardly begun
that will go on for so long.

On your adventures
the journey is quick and until now you've done it by calling on every
resource
but the memory of friends you've lost during the mission weighs on you:
you are unable to sleep,
you lose 2 points at Resistance
but you've found a Shining Cristal.
It's worth destroying the gate
but only if thrown onto another level of existence
will it give up its power.
You must throw it
through the gate of shadow
and leap over its shattered panels.
If you win you go to 69.
If you don't win but you have the art of Healing
you go to 199.
Otherwise choose a number by chance.
From the chart of Destiny.

Viaggio

Un cielo crudo e lucido li staglia contro un orizzonte rigato.
Vengono dall'Eritrea dal Sudan dall'Iran dalla Nigeria dalla Siria
ma dall'altra parte del mondo anche dal Nicaragua, Salvador,
Guatemala, Honduras.
Alcuni aprono una rotta,
altri vengono dietro,
in questa folle corse per la vita non si sa quale ma si spera
diversa,
quando diversa vuole dire nuova, rinata, più giusta, migliore.
E' un rettile fatto di tante città.
Una per ogni persona o gruppo.
'Una folla di centinaia di solitudini',
messa insieme dalla paura e dalla speranza,
che si snoda per chilometri e spicca sul marrone scuro
            della terra,
la nebbia spessa tra il verde bottiglia delle foglie,
cieli di nubi di cotone,
gradini di terra color ruggine e curcuma.
O in fila indiana guadagna metri, guadando ruscelli e fiumi
larghi e limacciosi,
mulinelli, sassi sdrucciolevoli, valichi ghiacciati,
o in fila sulla spiaggia a aspettare il turno.
I bambini in braccio o aiutati dai grandi.
Colore dell'arcobaleno spunta da ogni avvallamento curva
avanza sparisce per ricomparire
rallenta accelera senza mai fermarsi ghiaccio bel tempo sabato
domenica lunedì.
All'inizio in qualche centinaio, poi la folla raccoglie lungo
            il percorso altri migranti che ne raccolgono altri
'Le persone povere sono state sempre escluse da tutto'.
Ora non lo sono più.

Journey

A pitiless shining sky strikes them from over a streaked horizon.
They come from Eritrea from Sudan from Iran from Nigeria from
Syria but also from the other side of the world, Nicaragua and
Salvador, Guatemala, Honduras.
Some of them open up the route,
others follow behind
in this crowd towards who knows what kind of destiny but hopefully
different,
when different means new, reborn, fairer, better.
It is a snake made up of many cities.
One for every person or group
'A crowd of hundreds of solitudes'
put together from fear and hope
that winds along for kilometres visible against the dark brown of the
        earth,
the thick fog through the bottle green of leaves,
skies with cotton clouds,
earth hailstones colour of rust and turmeric.
Or in Indian file adding metres, adding streams and wide muddy
rivers,
whirlpools, slippery stones, icy passes
or lined up on the beach each awaiting their turn.
Children in arms or helped by grown-ups.
The colour of the rainbow appears in every dip curve advances
disappears to reappear
slows down speeds up without ever stopping ice good weather
Saturday Sunday Monday.
At first the odd hundred, then the throng collects other migrants
        along the way and they collect more
'Poor people have always been shut out of everything'.
Now they aren't any longer.

Almeno dalla carovana che via via si ingrossa come un'acqua torbida,
c'è persino una figlia della carovana,
ha tre settimane,
ma se per lei è andata così altre...

Sono morte di fame
sono morte di stenti,
sono morte di disidratazione,
sono morte asfissiate,
sono morte avvelenate dalle esalazioni,
sono morte per soffocamento,
durante gli incendi,
nelle deportazioni collettive in pieno deserto,
nel corso di sommosse,
in incidenti stradali,
per soffocamento,
schiacciate dal peso delle merci,
annegate nei fiumi,
per l'eccessivo calore,
di freddo nella neve tra le tempeste,
percorrendo i valichi tra le montagne,
nei campi minati,
di stenti sulle barche,
di fame e sete alla deriva sui ferry,
alla deriva.

Per difendere i propri bambini,
per difendere i propri uomini,
per difendere la propria vita,
per difendere il futuro,
gettate in mare dai sopravvissuti,
ma loro non sono sopravvissute,
perché non sapevano nuotare,
perché sono assiderate nel vano carrello degli aerei,

At least in the caravan that little by little swells like murky water,
the caravan even has a daughter,
she's three weeks old,
but while that's how it is for her, the others...

Died of hunger
died from privation,
died from dehydration,
were asphyxiated,
died poisoned by fumes,
died suffocated,
during the fires,
in the mass deportation in the middle of the desert,
caught up in revolts,
in traffic accidents,
suffocated,
crushed by the weight of goods,
drowned in rivers,
from excessive heat,
from the snow's cold in thunderstorms,
crossing mountain passes,
in mined camps,
struggling on boats,
from hunger and thirst drifting on ferries,
drifting.

Defending their own children,
defending their own men,
defending their own life,
defending the future,
thrown into the sea by survivors,
but they aren't survivors,
because they don't know how to swim,
because they're frozen inside an airplane's undercarriage,

uccise sotto i treni cadendo lungo i binari o rimanendo fulminate,
perdendo la presa sotto le ruote dei camion,
uccise nei pestaggi,
uccise dai proiettili nella schiena,
uccise dalle botte,
uccise dopo essere entrate in coma,
uccise dagli altri sopravvissuti che cercavano una via di fuga e le
hanno calpestate,
uccise dagli altri sopravvissuti che hanno fatto capovolgere la barca,
uccise dagli scafisti che le hanno gettate in mare come zavorre,
uccise anche se erano incinte,
coi neonati vicino,
coi bambini a pochi passi che piangevano,
giocavano,
avevano fame e sete,
avevano freddo e paura.

killed under trains falling along the tracks or electrocuted
losing their grip under lorry wheels,
battered to death,
punched to death,
killed after falling into a coma,
killed by other survivors searching for a way to escape and
trampling on them,
killed by other survivors who capsized the boat,
killed by people smugglers who threw them into the sea like ballast,
killed even if they were pregnant,
with grandchildren beside them,
with children a few steps away crying,
playing.
They were hungry and thirsty.
They were cold and frightened.

'Back way' song

Ma basta parlare di odissee.
La poesia è molto di più della morte.
Lo sa.
Ha messo su Internet la canzone che ha scritto e subito migliaia di
        giovani senegalesi l'hanno scaricata e la cantano.
E' una griot
discendente di griot.
Canta la vita.
Anche quando sembra che la notte possa tornare solo indietro,
verso la voce dei cari,
il loro saluto.
La sua voce pesa più di quella di un politico.
E la Poesia, lei ce l'ha nel sangue, quando finisce di fare la cassiera al
supermercato.
Gli alti muri del suo cortile trattengono tra le foglie il cielo,
gonfio di nubi,
gonfie di pioggia.
Lì si raccolgono da tutto il paese le madri per dire:
Il nostro mondo è quello che attraverso di noi sarà dei nostri figli
E non importa se siamo orfane vedove madri che hanno pianto i figli,
Mai più in esilio. Mai più partire.

Talloni leggeri,
un vento di passi,
percorrono itinerari,
li lasciano ad altri.
Impareremo a bere dalla stessa bottiglia,
a passarci un unico sogno.
Quanto vale il potere delle parole di cambiare?

'Back way' song

That's enough about odysseys.
Poetry is much more than death.
She knows it.
She put the song she wrote onto the internet and immediately
        thousands of young Senegalese downloaded it and now
they're singing it.
She's a griot.
Descendant of griots.
She sings life.
Even when it seems that night can only turn back
towards the voices of loved ones,
their greeting.
Her voice has more weight than a politician's.
And as for Poetry, it's in her blood, when she's finished working as a
check-out assistant at the supermarket.
The high walls of her courtyard hold up the sky among the leaves,
Swollen with clouds
swollen by rain.
Mothers gather there from across the country to say:
our world will belong to our children through us
and it doesn't matter whether we are orphans widows mothers or
that our children have cried,
Never again exile. Never again to leave.

Light heels,
a wind of footsteps,
travel along trails,
leave them to others.
We will learn to drink from the same bottle,
to share one dream between us.
What's the cost of the power of words to change?

Camminiamo con il cielo,
verso la prossima terra,
nomadi come il cielo,
fatte di viaggio prima di sapere camminare.
Ogni passo un fiume una valle una montagna.
Ore ferme
annullano la speranza,
la sua voce di folla di foglie.
Stare e non potere andare.
Andare con il pensiero
dove il corpo trova l'altezza dei muri a fermarlo.
Brucia la mente. Cieli
come piogge sui vetri piangono acqua,
viaggiano.
Un filo spinato un gard rail il graffito
di un muro, non durerà.
Abbiamo percorso colline e montagne,
deserti e città.
Le nostre parole sono come l'alba per dire:
mai più figli morti, in esilio, mai più vederli partire, partire.

We walk with the sky
to the next land,
nomadic like the sky,
made for travel before learning how to walk.
Every step a river a valley a mountain
idle hours
annihilating hope,
its voice a crowd of leaves.
Remaining unable to go.
Going with thought
when the height of walls stops the body going further.
The brain is burning. Skies
like rain against the window panes weeping water,
they travel.
A barbed fence a guardrail graffiti on a wall
won't remain.
We've crossed hills and mountains.
Deserts and cities.
Our words are like the dawn saying:
Never again sons dead, in exile, never again to watch them go away,
away.

L'Europa faccia l'Europa

L'Europa faccia l'Europa dice in tv.
Ha perso la sua umanità.
I suoi valori
Sono burocrati,
ragionieri.
Moscovici e Junker
contano.
La Merkel conta.
Bruxelles conta.
Nella scuola improvvisata al campo,
su tavoli e sedie di plastica, contro un cielo denso di fumo di
roghi di plastica,
anche i bambini contano,
imparano:
1 piccolo bulldozer di plastica,
1 adesivo di Hallowen,
1 sparabolle,
1 coroncina di strass,
1 pistola ad acqua,
1
2
3
4
5 persone davanti.
Per andare in bagno.
A vomitare.
1 2 3 4
A furia di aspettare non gli viene neanche più di vomitare.

Europe face to face with Europe

Europe face to face with Europe it says on TV.
It has lost its humanity.
Its values.
They are bureaucrats,
accountants.
Moscovici and Junker
count.
Merkel counts.
Brussels counts.
In the camp's improvised school,
on plastic tables and chairs, against a sky thick with the smoke
from plastic bonfires
the children are counting too,
are learning:
1 small plastic bulldozer,
1 Halloween sticker,
1 soap bubble gun,
1 strass coronet,
1 water pistol,
1
2
3
4
5 people in front.
Going to the toilet.
Going to vomit.
1 2 3 4
He waits so long that he no longer feels like vomiting.

2
come le sponde,
1 di qua 1 di là,
in mezzo 1 prato e 1 cielo che basta un po' di vento e passa
dall'altra,
clandestino,
nubi
clandestine,
fili d'erba incerti,
clandestini.
2 come la notte ad aspettare in fila,
e il giorno dopo perché la notte non è bastata,

2 cortili
1 dentro l'altro,
1 con 1 fico e 1 glicine, 1 assolato con l'asfalto:
la sera si siedono per terra e giocano,
i grandi fanno musica, loro pensano ad alta voce, crollano dal
sonno, e giocano
2 x 100 gli arrivi di oggi:
bisognerà ricominciare a dividere tutto, per 200 volte
2 come 2 terre, 2 lingue, io e tu,
1 corpo anche lui confine,
2 muri,
in mezzo 1 stare:
solo la luce va e viene
2
non si ritorna,
non si ritorna.
A come si era.

2
like the river banks
1 over here 1 over there,
in between 1 field and 1 sky for all you need is a bit of wind and
you're on the other side,
clandestine,
clandestine
clouds,
clandestine
ill-defined blades of grass.
2 like at night waiting in line
and the following day because the night wasn't enough

2 courtyards
1 inside the other,
1 with 1 fig tree and wisteria, 1 sunny with asphalt:
in the evening they sit on the ground and play,
the older ones play music, they think in loud voices, collapse
shattered, and play games
2x100 are today's arrivals:
you'll have to start dividing everything 200 times,
2 as in 2 lands, 2 languages, I and you,
1 body he's a border too,
2 walls,
in between them 1 staying:
only the light comes and goes
2
no going back
no going back.
To how we were.

Interviewing

Il maestrale dal mare porta tempesta,
vietato uscire,
1 persona chiude gli occhi a 1 persona che non conosceva,
1 matrimonio che non si dovrebbe fare tra 2 famiglie, litigano,
1 cielo cambia,
in fretta,
tante (?) piogge con (?) odori diversi
1 muro malgrado,
1 viaggio malgrado,
per 1 felicità malgrado.
6 muri che chiudono 1 cortile con in mezzo 1 albero scorticato
dal diamante del sole,
6 rami che proiettati sui 6 muri diventano 1 foresta ma mancano
i propri cari,
1 scia di luci piccole si snoda come 1 rettile lunghissimo,
1 folata porta sabbia dal deserto,
ci è morta tutta la famiglia.
1 intervista a 1 telegiornale per dire cosa si sente,
se si è rimasti,
se si è partiti,
se i propri cari sono tutti morti,
cosa si sente?

Interviewing

The mistral from off the sea brings a storm,
going out is forbidden,
1 person shuts his eyes to 1 person he doesn't know,
1 marriage that should never have happened between 2 families,
they fight.
1 sky changes,
in a hurry,
so much (?) rain with (?) different smells
1 wall despite
1 journey despite
for 1 happiness despite.
6 walls enclosing 1 courtyard with 1 tree in the middle scraped by
the sun's diamond,
6 branches that when projected onto 6 walls become 1 forest but
they miss their loved ones,
1 trail of little lights uncoils like a very long snake,
1 gust brings sand from the desert,
The whole family died here.
1 interview with 1 news programme to tell them what it feels like,
whether we've stayed
whether we've gone,
whether our loved ones have all died.
How does it feel?

Never again

Le immagini sono i loro fantasmi,
li accompagneranno sempre,
per sempre.
Anche se andranno dalla psicologa del campo, prenderanno
farmaci.
Onde di ossidiana.
Cielo color curcuma.
Nuvole gonfie da esplodere.
A casa
era un viaggio andare a prendere l'acqua *ma stavolta è venuta lei,*
sul ponte della barca e l'ha portata via.
Un tonfo.
Un'onda si accartoccia,
dove ci sono corpi.
C'era,
quello della mamma.
Dovrebbe baciare la terra perché è viva come i marinai che
                    escono dalle tempeste.
Invece non parla,
non mangia,
non dorme.
Guarire è il solo viaggio.
Il resto sono chilometri,
e giorni per percorrere
chilometri.

Never again

Images are their ghosts,
they will stay with them always,
forever.
Even if they go to the camp's psychologist they'll still take
medication.
Waves of obsidian.
Sky the colour of turmeric.
Clouds blown up until they explode.
At home
it was a journey to go and fetch the water
but this time it was the water that came
onto the deck of the boat and carried her away.
A thud.
A wave collapses
where the bodies are.
There was
mother's.
She should have kissed the earth because she was alive like
        sailors who survive storms.
Instead, she doesn't speak,
doesn't eat,
doesn't sleep.
To heal is the only journey.
The rest is kilometres
and days to get through,
kilometres.

Non l'avremmo mai potuto immaginare

Non l'avremmo mai potuto immaginare
che sarebbe stata così dura.
Si muovono calmi nella luce di una luna brilluccicante che non
       finisce mai
alta alta lontana lontana.
Nubi sfregate dal vento,
d'un inchiostro annacquato d'azzurro
e sotto la morsa del freddo abbraccia la tenda
stretta stretta forte forte.
Voci,
con altre inflessioni e ritmi e l'odore di cipolle fritte dai ristoranti.
Una porta caffèlatte,
fa pendant con poltrone caffèlatte:
buttate da qualcuno diventano rifugio.
Ci giocano a fare la televisione, intervistarsi, fare le grandi, bere
il tè.
C'è qualcuno
che vuole rispondere al telefono?

Never could we have imagined

Never could we have imagined
it would be so hard.
They move calmly in the brilliantly shining moonlight that never
            comes to an end
so high up and so far away.
Clouds dragged by the wind
by ink washed in light blue
and down below the biting wind is hugging the tent
so fiercely so tight.
Voices
with other accents and rhythms and the smell of fried onions from
the restaurants.
A coffee-coloured door
matching a coffee-coloured armchair:
thrown away by someone they become a refuge.
There they play at being on television, doing interviews, being
grownups, drinking
tea.
Is someone
going to answer the phone?

Senza wi-fi gratis non possiamo vivere

Il cielo è addormentato.
La luce della notte così pesante
che una spirale di fumo invece di volare si incurva verso terra e
scende.
La nebbia – o è fumo? – rimane attaccata agli alberi.
E crea nuove forme e nuove ombre.
Senza wi-fi gratis non possiamo vivere.
Vogliamo sky calcio, la ricarica dei cellulari, hanno la suoneria di
Britney Spears.
Esce con il velo dalla tenda,
ci ha appeso fiori di stracci. Di fianco
lanciano divani, sedie, incendiano giacigli per fare un video e
                postarlo, protestare, per noia,
fanno la fila per fare la pipì e per la 'paga',
litigano, sbraitano, si suicidano, muoiono,
gli uomini.
Le donne invece scrive la reporter *'cercano con dolcezza di
compensare le atrocità che hanno visto i bambini',*
Cercano di farli addormentare, lavarli, non farli piangere.
Essere normali e fare cose normali
è la fortuna e la rivoluzione delle donne.
E dalle cose normali
passa il futuro.
Anche qui.

We can't live without free wi-fi

The sky's asleep.
The night's light so heavy
that a spiral of smoke instead of flying curves towards land and
descends.
Fog – or is it smoke? – still clings to the trees.
And creates new forms and new shadows.
We can't live without free wi-fi.
We want sky sport, a charger for our mobiles, they have a Britney
Spears ringtone.
She comes out dressed in a chador
on which she has pinned flowers made of rags. Nearby
they throw out sofas, chairs, set fire to bedding to film a video and
            post it, to protest, out of boredom,
they queue up to pee and for 'wages',
the men quarrel, yell, kill themselves,
die.
While the women, writes the reporter *'try to make up for the*
atrocity the children have witnessed with their gentleness.'
They try to get them to sleep, to wash them, not make them cry.
To be normal and to do normal things
that is both women's fortune and their revolution.
And from normal things
comes the future.
Even here.

Buongiorno, giorno, francese

'E' dopo lo sgombero della Jungle
sì... che...'
Tutti i tentativi di attraversare la Manica... Vani... così...
sono arrivati a Parigi
Ogni giorno alle sette si accoda ai già 20 o 30 sperando sia il giorno
      giusto per avere un tetto sulla testa.
Prima ero in uno squat adesso è per strada e alla Bulle
– il campo umanitario dove tutti vogliono andare –
è impossibile entrarci ma tutti aspettano in fila lo stesso che si liberi
      un posto!
Aspettando intervista tutti e conserva le interviste per venderle per
      un film e diventare famoso.
Martedì scorso ha persino intervistato poliziotti con gli idranti e il
      manganello.
Vicino 4 afghani con gli occhi chiusi dicono:
vogliamo un'altra vita.

Good day, French day

'And after the eviction from the Jungle
yes... that...'
Every attempt to cross the Channel... hopeless... and so...
they arrived in Paris
Each day at seven he queues up behind 20 or 30 hoping this will be
      the day he'll have a roof over his head.
I was in a squat before now he's on the streets and at La Bulle – the
refugee camp where everyone wants to go –
impossible to get in but they all queue up just the same in case a
      space comes free!
Everyone's waiting for an interview and he's keeping the interviews
      to sell them for a film and become famous.
Last Tuesday he even interviewed policemen with water cannons
      and batons.
Nearby 4 Afghans with eyes closed say:
we want another life.

Foto 1

Sorride.
Ma a chi?
Deve avere 12 anni.
E' carina.
La foto la ritrae sola in una strada trafficata.
Ma questo non dice nulla di quell'esodo lungo lungo che si snoda
nel tempo e nello spazio come una crepa della terra.
Perché,
in una situazione così,
sorride?

Photo 1

She smiles.
But who at?
She must be 12 years old.
And pretty.
The photo shows her alone in a busy street.
But says nothing about that exodus unwinding such a long way
in time and
space like a crack in the earth.
Why
in a situation like that
is she smiling?

Foto 2

Corre in avanti spaventato.
Dietro c'è una nuvola di fumo.
O forse è polvere.
Non si vede da cosa scappa né verso chi va con quell'espressione.
Verso la mamma?
Sorriderebbe al pensiero del suo abbraccio che consola da ogni paura.
Verso il fratellino?
Sorriderebbe al vederlo giocare al gioco che anche lei vuole fare subito.

Photo 2

Frightened he runs forward.
Behind there's a cloud of smoke.
Or maybe it's dust.
You don't see what he's escaping from nor who he's going
towards with that expression.
Towards his mother?
He'd smile at the thought of her embrace that removes
all fear.
Towards his little brother?
He'd smile seeing him play the game
that he wants to play too,
at once.

Foto 3

Gli uccelli volano e se non fosse una foto stupirebbe il loro silenzio
così forte che esce dalla carta e arriva addosso.
Le loro ali occupano i due terzi del negativo e anche questo non
    stupisce.
Non si vede l'orizzonte che loro vedono
e questo può far pensare che è aperto a vista d'occhio e non ci sono
    muri né soldati.
Ma non ce n'è nessuna prova,
come del contrario.

Photo 3

Birds are flying and if it
weren't a photo their silence, so intense, rising from the
paper and landing on top of you would be a shock.
Their wings occupy two thirds of the negative and even that isn't
        shocking.
You can't see the horizon they see
and that makes one think it's an open view without walls or soldiers.
But there's no proof
one way or the other.

Foto 4

Sparano.
Le armi sono sullo sfondo.
La loro immagine è chiara e quella delle armi no.
Si abbracciano.
Chi sono?
perché lo fanno?
Non si sa ma è bello che prevalga quel gesto come se il resto non
esistesse
o almeno non gli togliesse la voglia di farlo
fregandosene di essere ripresi anche se lei un po'
sta girata forse per non mostrare il viso.

Photo 4

They're shooting.
Weapons are in the background.
Their image is clear and that of the weapons isn't.
They hug one other.
Who are they?
Why are they doing it?
You can't tell but what's beautiful is how that gesture stands out as if the rest didn't exist
or at least didn't stop them wanting to do it
not giving a shit about being caught even if she is slightly
turning away, perhaps so as not to show her face.

Il barbiere farà affari d'oro

Terra.
Insetti addormentati.
Cumuli di immondizia.
Blu mosso di cielo. Notte di fantasmi,
di fari che scappano nei campi come volpi,
di sentieri all'orizzonte arrosati dall'aurora,
calpestati dalla libertà dei cavalli,
da muli che li salgono tra le nebbie del sonno,
un passo dietro l'altro.
Un'autostrada a pochi metri lungo il confine con auto portate da
            luci,
altre auto ferme parcheggiate sul cemento dietro,
una musica che non si sente ma chi sta lì sente si ferma ricomincia
si sposta.
A uno a uno accendono le scintille delle sigarette,
uno specchietto rotondo attaccato a un chiodo piantato in una
            corteccia le riflette,
e il fumo ne impiglia le luci e ne fa un plancton iridescente.
Un barbiere entrerà nell'obbiettivo mentre farà affari d'oro,
ma succederà domani, quando il suo negozio improvvisato aprirà.
Due ragazzi
progettano di sparire nel bosco.
Nulla li attende tanto,
se non tempo che agita stenditoi.
Una bimba cerca nello zaino rosa qualcosa che non c'è e non si dà
            pace,
foglie scure come ferro assorbono rumori e li portano in un mondo
            sconosciuto.
Un bambino tutto occhi e capelli salta su un copriletto per
            ammazzare il tempo,
e quando capisce che non riesce
si mette a piangere.

The barber will make his fortune

Earth.
Sleeping insects.
Piles of rubbish.
A blue movement of sky. Nights of ghosts
of headlights escaping across the fields like wolves,
of paths leading to a horizon flushed by dawn,
trampled by the freedom of horses,
by mules emerging through mists of sleep,
one step after the other.
A motorway a few metres along the border with cars led by lights,
       other cars stationary parked on the cement behind,
music that you can't hear but someone there hears stops starts again
moves.
One by one the glimmer of lit cigarettes,
a small round mirror attached to a nail stuck in bark reflects them
and the smoke catching the lights makes them an iridescent
       plankton.
A barber will come into view when he makes his fortune,
but that will happen tomorrow when his pop-up shop opens.
Two boys plan to shoot in the wood.
Nothing more lies ahead of them,
only time shaking the drying racks.
A little girl searches in her pink backpack for something that isn't
there and can't get over it,
leaves as dark as iron absorb sounds and carry them off into an
       unknown world.
A small boy all eyes and hair bounces on his bedcover to kill time
and when he understands he can't
starts to cry.

Scusate se non siamo affogati

Ma poi quando si passa dalle foto alla tv di colpo quello che era
silenzioso si riempie di voci confuse in tante lingue e ritmi e
cadenze.
Dana cerca di farlo addormentare,
Al Jazeera lo riprende, un anno, le tira i capelli per tenersi
aggrappato al mondo dei grandi,
poi prima di crollare, o già in sonno,
molla la presa, in un sorriso: *Bambino*
mio,
io,
io tu,
il vento del cavallo nudo su cui noi,
io e tuo padre,
siamo saliti impiastricciandoci di cielo,
tutte le voci di quella sera e il partire, in fila dalla spiaggia,
le parole nella stiva della mente le onde,
l'acqua arrabbiata che ci spingeva a spintoni.
Dandini dandini dastana
La mia voce ha gli occhi chiusi,
ha il ritmo che ha la città lasciata,
nella notte più giovane e più vecchia
in cui io e tu,
io tua madre,
io e tuo padre.
Volevamo andare ad abitare nella casa dopo l'Adriatico,
volevamo salire sulla zattera...
E il vento aveva preso a venire dall'Orsa,
ci soffiava i suoi fili d'oro e tesseva il disegno
delle cose...

Excuse us we didn't drown

But then moving from photos to TV suddenly what was silent fills
with a jumble of voices in many languages and rhythms and
cadences.
Dana tries to get him to sleep,
Al Jazeera films him, a one-year-old, he's pulling her hair to hang
on to the world of grown-ups,
then before sinking or already asleep,
he loses his grip, smiling: *My*
baby,
I,
I you,
the wind of the naked horse on which we,
your father and I,
set off spattering ourselves with sky,
all the voices from that evening and the departure on the beach in a
line,
words in the hold of the mind, the waves
the angry water shoving us, buffeting us.
Dandini dandini dastana
My voice has its eyes closed,
is holding the rhythm of the city we left behind,
in the youngest night and the oldest,
in which I and you,
I your mother,
your father and I.
We wanted to go and live in the house beyond the Adriatic,
we wanted to leave on the raft...
And the wind had started to blow in from The Bear,
it blew us its golden threads and wove the design
of things...

La barca è immobile.
Ancorata in mezzo al sole.
Un grumo di sete e di vita che non fanno sbarcare,
a pochi minuti dalla costa di lava e oleandri.
Nero, rosa, rosso, lillà.
Cactus fioriti.
Fichi d'india.
Quello che si era immaginato e imparato su internet e whatsApp
in controluce resta un'immagine della mente.
E la salsedine brucia le canzoni,
le ciglia fuoco.
Qualche bambino disidratato delira.
Una neonata piange.
Poi l'alba diventa oro massiccio e torna l'ustione del sole.
39° 43° Alzano tende di plastica per una manciata d'ombra ma è
        peggio.
Bambino mio, io, io tu...

The boat doesn't move.
Anchored in the centre of the sun.
A blob of thirst and life not brought on shore,
a few minutes away from the coast of lava and oleander.
Black, pink, red, lilac.
Flowering cactus.
Indian figs.
Everything that was imagined and discovered on the internet and
WhatsApp remains an image backlit in the mind.
And dried salt burns the songs,
eyelashes on fire.
A dehydrated little boy is delirious.
A new-born cries.
Then dawn becomes a mass of gold and the scalding sun returns.
30° 43° They put up plastic sheets for a spot of shade but that's worse.
My baby, me, me you...

Lì dove?

Il sole è pietra
e quello che la notte aveva reso di velluto abbaglia,
come una foto lasciata nell'acido troppo tempo,
calcinata, bruciata, sovraesposta.
Vicino al Pont de l'Alma o era Ponte-Neuf?
No, Aubervilliers... no in periferia! (quale?),
dopo il fiume, la sopraelevata, la RER....
Calzoni blu da lavoro, berretti da baseball, formiche che mordono,
salviette, involti di patatine
fritte.
Un vento altissimo sostiene un aereo e tortura gli infissi,
traversine dimenticate luccicano e non portano da nessuna parte.
Ieri hanno dimostrato, tirato pietre, acceso fuochi, *ché se ne*
andassero,
gli rubano il lavoro, le case.
Dove c'è stato il viaggio,
residui di un pranzo di plastica,
l'odore della periferia, della sua nebbia di roghi ardenti con luci
ardenti e voci ardenti, sottopassi, rotonde, rabbia.
Una padella di stagno e un distributore d'acqua rotto.
Arrivano per sgomberarli anche da lì.
Lì dove?

There where?

The sun is a stone
and what night had turned into velvet is dazzling
like a photo left in acid too long,
calcined, burnt, over-exposed.
Near to the Pont de l'Alma or was it the Pont-Neuf?
No, Aubervilliers... no on the periphery! (which one?)
After the river, the causeway, the RER...
Blue overalls, baseball cap, ants that bite,
napkins,
crisp packets.
A very high wind holds up a plane and tortures the window frames,
forgotten railway sleepers glint and go nowhere.
Yesterday they demonstrated, stones were thrown, fires lit, *they*
have to leave,
they steal our jobs, houses.
Where the journey took place,
the left-overs of a plastic lunch,
the periphery smell, from its fog of blazing bonfires blazing lights
and blazing voices,
underpasses, roundabouts, rage.
A tin frying pan and a broken water dispenser.
They're coming to evict them from there as well.
There where?

'C'è sempre un sud a sud del sud'

È il cammino degli eroi e di tutti quello di tornare.
Anche se 'prima' sembra impossibile e inaudibile e impensabile
In Gambia e dappertutto adesso tutti ripetono
back way
back way.
Distese di spalle
in controluce contro la faccia azzurra del mattino.
Quando si parte si parte per sempre.
Anche se si torna
E si decide smarriti in una promessa di nebbia,
o sotto il ponte ferroviario tra piccoli traffici di cibo,
seminascosti da erba e cartoni.
Alle 20 arrivano altri,
srotolano materassi,
arrotolano pantaloni e ne fanno cuscini.
Bonne nuit, sconfinata pace calda delle 10 della sera.
Vento concavo di stelle,
immensamente fermo,
immensamente in attesa
di attendere altra attesa
Finestre senza risposte: si illuminano spengono riaccendono,
nascondono storie, lasciano immaginare.
Una sedicenne annoda asciugamani e ne fa un'amaca
per la figlia di pochi mesi:
e tutto per un attimo è in tregua
e nella tregua tutto per un attimo
è possibile.

'There's always a south to south of the south'

It's the road taken by heroes and all who want to return.
Even if 'before' seems impossible and inaudible and unthinkable.
In Gambia and everywhere now they all repeat
back way
back way.
Shoulders slack
backlit against the blue face of morning.
When they leave they leave forever.
Even if they return
and while they're deciding they are lost in a forecast of fog
or under a railway bridge in between small swaps of food, half
hidden by grass
and cardboard.
At 8pm others arrive,
unroll mattresses,
roll up trousers to make cushions of them.
Bonne nuit, boundless warm peace at 10 at night.
A concave wind of stars.
immensely still,
immensely waiting
awaiting a further wait.
Windows without answers: they turn on turn off light up again
hide stories, let you imagine.
A sixteen-year-old knots together towels to make a hammock
for her daughter who's a few months old:
and everything momentarily is in reprieve
and in the reprieve everything is momentarily
possible.

Prima dell'alba

La freccia del corridoio indica giù giù l'aula III, spettrale.
La nebbia di mezzanotte diventa delle 5 trascinandosi dietro
bambini addormentati
Fuori la Gare du Nord,
dentro mosche ipnotiche intorno al resto di zucchero
dello sciroppo per la tosse e del sedativo che sa di lampone.
Smanetta
chino sul telefonino del papà che dorme, il viso blu di riverbero.
Alla conclusione di ogni sessione,
l'eroe sarà invitato a riposarsi;
prima che si addormenti,
si potranno scorgere per pochi istanti
diversi segni e simboli.
Con la fine del gioco,
i simboli diventeranno pienamente visibili,
si scoprirà che sono stati creati col sangue da un altro prigioniero,
impazzito a causa della mole insostenibile di ricordi. Essi sono:
Un Occhio di Ra
Disegni delle Piramidi di Giza
Un riferimento all'isola di Yonaguni
Una data Maya
Un diagramma di...

Before dawn

The corridor arrow points on down to Courtroom III, spectral.
The fog of midnight becomes the fog of 5am dragging behind it
ten sleeping children.
Outside Gare du Nord,
inside hypnotic flies around what remains of sugar
from the cough syrup and the pain-killer that tastes of raspberry.
He speed-texts
crouched over his sleeping father's mobile, his face blue from the
reflection.
At the end of each session,
the hero will be invited to rest;
before sleeping
for a few minutes you'll be able to spot
different signs and symbols.
At the end of the game
the symbols will become fully visible,
you'll find they've been created from another prisoner's blood,
driven crazy by the intolerable heap of memories. They are:
One of Ra's eyes
Drawings of the Giza Pyramids
Yonaguni Island
A Mayan date
A diagram of...

Cutting

Camminano guardando in basso,
loro, abituati a viaggiare a naso in su per seguire il corso delle stelle
di cui sanno tutti i nomi e i movimenti e quali guardare per cosa.
Ma per un gabinetto chimico, un panino, dormire ci sono frecce
fatte coi pennarelli dai volontari e dai preti e bastano,
basta seguire i passi e la lunga fila dei materassi.
Luci iodate rendono il pavé nella pioggia un mare di rame e bronzo
insieme.
E' la Parigi del Louvre, l'arte, la Rivoluzione, l'Europa.
Se gli conti i tagli sulle braccia e gli avambracci ti perdi
e devi ricominciare e in mezzo lui ti guarda,
o si alza e fa il giro del cortile a quadrato,
prima di tornare
a sedersi.
Dei tagli un po' è orgoglioso un po' si vergogna.
E è tutto un su e giù di maniche per mostrarli e nasconderli ma poi
fa caldo.
Non ha desideri,
o forse ne aveva,
ora divide coi suoi fantasmi il cortile
e per svegliarsi da quel brutto sogno usa la lametta,
ma dopo che l'ha affondata brucia mezz'ora.
E poi è come prima.

Cutting

Walking eyes down,
the ones who are used to travelling head tilted up tracking the course
of the stars
knowing all their names and movements and which to follow for
what.
But for a chemical toilet, a bread roll, a place to sleep there are arrows
drawn with a marker by volunteers and priest and that's enough,
enough to follow footprints and the long line of mattresses.
Iodized lamps turn the cobbles into a sea of copper and bronze
combined.
It's Paris of the Louvre, Art, Revolution, Europe.
If you count the cuts on his arm and forearm you get confused
and have to start again and all the time he's watching you
or he gets up and circles the square courtyard
before coming back
to sit down.
He's both a little proud and a little ashamed of the cuts.
And it's all an up and down of sleeves to show them and hide them but
then it gets hot.
He has no wishes
or maybe he had them,
now he shares the courtyard with his ghosts
and so as to wake up from that bad dream he uses the razor blade
but after he's sunk it in it burns for half an hour.
And then it's the same as before.

Per lei sogno grande

Porte de la Chapelle.
Cercano al rallentatore la poca ombra di alberi poveri di foglie,
estenuati da una delle estati più calde del secolo,
le ore goccia a goccia anche se non c'è acqua,
lo spazio brucia.
Ci sono tornati dopo l'evacuazione perché si erano
semplicemente abituati a stare lì,
male, ma dopo avere provato la schiavitù anche a quel posto
vicino alla collina del crack,
evacuata 17 volte dal 2000 per traffico di droga e prostituzione,
ci si può abituare.
Qualcuno passa, accende una pipa di crack e scompare,
qualcuno si sveglia tutte le mattine alle sei e aspetta i volontari
che portano il caffè caldo, salviette.
Sembra ci sia silenzio.
Ma un tuono rompe la notte.
Un pelouche,
ci dorme, cerca
di dormirci, lo stringe per farla passare:
la paura del buio.
Ma se si gira verso la finestra del cortile del nonno passerà come
sempre. Ecco....
Già.... non è a casa,
e ha perfino cambiato paese continente città.
La mamma oggi ha detto alla tv
'per lei sogno grande, che studi, diventi dottoressa'

I have big dreams for her

Porte de la Chapelle.
In slow motion they search for the little shade offered by skinny
trees with scant leaves
depleted by one of the hottest summers of the century,
hours drop by drop although there's no water,
the space burns.
They've gone back after the eviction simply because they were
used to being there, it's bad but after enduring slavery too in that
place near the crack hill,
evicted 17 times since 2000 for drug trafficking and prostitution,
one can get used to it.
Someone passes by, lights up a crack pipe and disappears,
Another wakes every morning at six and waits for the volunteers
who bring hot coffee and napkins.
It seems to be silent.
But a thunderclap splits the night.
A cuddly toy,
she sleeps, tries
to sleep, grips it tightly to make her fear of the dark
go away.
But if she turns towards her grandfather's window it will go away
like it always does. There...
Of course... this isn't home,
It's even changed country continent city.
Today her mum told the TV
'I have big dreams for her, to study, become a doctor'.

Ma adesso non c'è
e qualcuno ha lasciato libero un aquilone di carta rossa,
finisce su un albero.
Rituali notturni sulle stuoie,
una dura luce elettrica raccoglie scintille di moscerini intorno a
una tazza.
Qualche rumore come una farfalla,
lo scaccia con la mano.

But she's not here now
and someone has set a red paper kite free,
it ends up on a tree.
Nocturnal rituals on the rush mats,
a hard electric light catches the flicker of midges round a cup.
A sound like a butterfly,
she shoos it away with her hand.

Mi bemolle

Il treno delle 21 si è portato via la musica.
Suona quasi tutto in mi bemolle ma non lo sa.
Suona da prima di sapere che suonava.
Le strade deserte appena lavate sanno di disinfettante.
Lo va a ascoltare tutti i giorni.
Una passeggiata di mezz'ora.
Trenta minuti seduta sui gradini,
con le prime mestruazioni e le domande che porta diventare
grande.
Un cartellone con su Isadora Duncan in curva tutte le volte che
        esce dal campo.
Chi è Isadora Duncan?
L'odore acuto degli alberi,
il loro profilo nella nebbia fa da sfondo all'intero quinto piano di
        una casa illuminato:
va bene anche quello
per immaginarci dentro
un'altra vita.

E flat

The 9 pm train has taken the music with it.
He plays nearly all in E flat but doesn't know that.
He's been playing since before he knew he played.
Recently washed deserted streets smell of disinfectant.
Every day she goes to listen.
Half hour on foot.
Thirty minutes sitting on the steps
with her first periods and the questions she has about growing up.
An Isadora Duncan poster at the turning each time she leaves the
        camp.
Who's Isadora Duncan?
The sharp scent of trees,
their profile in the fog provides a backdrop to the entire fifth floor
        of a lighted house:
that's alright as well
to imagine ourselves inside
another life.

Please let's us to go

Diavata, Eko Station, Lesbo, il campo di
Moria
Baracche in laminato numerate, depositi in stato di abbandono,
violenze sessuali, torture,
tende nel nulla,
giacigli. Testa contro testa. Sogno contro sogno. Così vicini da
respirarsi e passarsi la tosse.
La paura.
Idomeni vicina crea l'illusione della libertà.
Primavera in Grecia.
La natura si risveglia, la neve si scioglie, e insieme ai fiori spunta
un corpo.

Please let's go

Diavata, Eko petrol station, Lesvos, the camp at
Moria.
Shacks in numbered laminate, abandoned rubbish, sexual assaults,
torture,
tents in the void.
Lie down. Head to head. Dream to dream. Close enough to breath
each other and pass on coughs.
Fear.
Idomeni close by creates the illusion of freedom.
Springtime in Greece.
Nature's waking up, snow melts, and instead of flowers a body
appears.

Diritti disattesi, dove tutto è attesa

Gli insegnanti gli insegnano a dire a come altalena
b come banana.
Come se con tutto quello che hanno visto e vissuto servisse. Serve.
Quando rivedono i genitori riparlano la loro lingua ma anche la
        nuova,
finché diventa quella di quando sognano e è allora che gli dicono
che quella notte dovranno
ripartire.
Alla scuola dei volontari dietro rue de Poissoniers ripetono insieme
        come si chiamano
e come si chiamava il loro paese,
dov'era,
com'era.
E com'è quello nuovo,
dove sono arrivati.
Dove?
Domani dicono
ci vivranno, si sposeranno.

Rights unnoticed, where everything is noticed

The teachers teach them to say a as in apple
b as in banana.
As if all they have seen and lived were useful. Is useful.
When they see their parents again they go back to speaking their
          language but the new one as well,
until that becomes the one they dream in and then they are told
that night
they will have to
leave.
At the volunteers' school behind Rue de Poissoniers they repeat
          together what their names are
and what their country's name was,
where it was,
what it was like.
And what the new one's like,
where they've reached.
Where?
Tomorrow they say
they'll live there, they'll marry.

Rap-sody

Farò lo youtuber, farò la musica.
Rappa. Gli piace.
Lo ascoltano, applaudono. Gli tirano dietro parolacce.

Il tempo non lava le ferite
ma ci getta solo dentro sole e sale.
Allora si può andare lontanissimo,
Non c'è emozione più grande
di abitare uno spazio che non c'era,
di riempire di foto future i muri
senza paura se sono nostri fino a sera.
E allora si può andare lontanissimo,
così lontano che il navigatore non ci trova,
così lontano che la lingua è da inventare
e si parla con la voce del mare.
Lontanissimo non c'è esilio non c'é guerra,
quello che c'è è solo tutta la terra,
se non hai nulla benvenuto dove serve
immaginare senza riserve.
E allora si può andare lontanissimo
senza fermarsi se fa male un dubbio
senza tornare mai sui propri passi
E allora si può andare lontanissimo
quando davanti c'è solo il gusto
di fare il mondo non importa quando
a nostra immagine solo giocando.
La leggerezza che abbiamo imparato
non potendo portarci dietro niente
adesso è un dono che ci fa scoprire
che tutto si può fare con la mente.

Rap-sody

I'll be a youtuber, I'll make music.
A rapper. He likes that.
They listen, applaud. Swear at him.

Time doesn't heal our wounds
but only throws us into salt and sun.
So we can go far far away.
There's no feeling greater
than to inhabit a space that wasn't there,
than to cover walls without fear
with photos of the future
so long as they're ours until evening.
So we can go far far away,
so far that the GPS won't find us
so far that no language is yet invented
and we speak with the voice of the sea.
Far away there's no exile no war,
there is only the whole of the earth.
If you have no welcome where you need it
let your imagination run riot.
So we can go far far away,
not halted by the pain of doubt,
never reversing our footsteps.
So we can go far far away
with only one wish ahead of us
to make the world no matter when
in our own image, only a game.
Able to take nothing with us
we've learned about lightness,
a gift that helps us find
we can do everything in our mind.

E allora si può andare lontanissimo.
Così lontano che qualcuno vola via.
Lo spazio è aperto.
Il tempo è così grande.
Se indietro ti hanno fatto solo male
ancora di più non ti resta che creare
e è una fortuna avere lasciato tutto.
E allora si può andare lontanissimo.
Inventare una nuova primavera,
costruire una città grandissima.
Vera per sempre, vera fino a sera.
E allora si può andare lontanissimo.
Io già ci sono in fila o in fondo a un campo
che fa schifo ma col pensiero sono già avanti
e domani ci saremo in tanti.
Città dopo città vita dopo vita
come serpenti che cambiamo pelle
baciami parlami e tutto quello che abbiamo vissuto
lo lasceremo con le vecchie stelle.
E allora si può andare lontanissimo.
Io non vedo nessun ostacolo frontiera
che non sia dentro la testa di qualcuno
solo lì insuperabile e vera.
E allora si può andare lontanissimo.
Creare lingue e spazi di la da quando
e percorrerli davvero e in gioco e in sogno
immaginando e camminando.
Se sto nel vecchio spazio con i muri.
Mi dispero a cercarti e non ti trovo.
Ma se ne creo un altro tu sei qui.
E possiamo vivere di nuovo.
E allora si può andare lontanissimo.

So we can go far far away.
So far that someone flies away.
The space is open.
Time is so great.
If in the past they only hurt you
nothing's left you except to create,
having lost it all is your good fortune.
So we can go far far away.
Invent a new springtime,
build a great city.
Forever real, real until evening.
So we can go far far away.
I'm already there waiting in line
or deep in a camp that disgusts me
but I've already moved on in my mind
and tomorrow there'll be many more of us.
City after city, life after life,
like snakes changing their skin,
kiss me speak to me and we'll leave behind
everything we've lived under the old stars.
So we can go far far away.
I see no obstacle or frontier
only inside someone's head
and only there is it insurmountable, is it real.
So we can go far far away,
create languages and spaces from way back when
and really travel through them as well as in games and dreams
imagining and walking.
If I'm in the old space surrounded by walls
I despair searching for you, unable to find you.
But if I create another one you're here.
And we can live again.
So we can go far far away.

Tu sei il mio amore
ch'a nullo amato amar perdona
e se ti guardo è già magnifico essere qui.
Qui dove l'afa rovente è solo un sogno.
E vero è solo il futuro di cui abbiamo bisogno.
Anche per morire anche per amare.
Anche solo per guardare insieme il mare.
E allora si può andare lontanissimo.
Si apre un paesaggio senza uguali.
Io già ci sto vivendo con la testa.
E presto...

...continua

You are my love
who being loved must love in return.
When I look at you, being here's already amazing.
Here where the red-hot muggy air's only a dream.
It's true that the future is all we need.
Whether to die or to love.
Or simply together to watch the sea.
So we can go far far away.
A landscape like no other's opening to us.
I'm already living it inside my head.
And soon...

...continues

1 milione di like

E' sbarcata dal ponte,
in canotta e vestitino rosa,
per mano a una poliziotta.
Con il viso da guerriera, un pelouche e basta.
come un'eroina dei videogame.
La sua immagine in pochi secondi fa 1 milione di like e cuori,
2 milioni.
Adesso la aspetta il tempo,
che fiacca anche gli eroi che hanno vinto tutto.
Ma lei... *devi resistere*, hanno scritto vicino ai cuori.

A million likes

She is brought down from the deck
in a vest and little pink dress,
holding the hand of a police woman,
with a warrior's face, a cuddly toy and that's enough.
Like a heroine in a videogame.
In a few seconds her image gets a million likes and hearts,
2 million.
Now time that weakens even those heroes who've won everything
is waiting for her.
But she... *'you must resist'* they've written next to the hearts.

Nascita

Non è ancora, ma qualche minuto e.
Sarà.
Uno degli oltre 22.000 minori che arrivano,
dall'Albania e dall'Africa sub sahariana,
dall'Egitto, l'Eritrea, l'Etiopia, la Siria, il Nilo, il Niger,
in braccio,
trascinati per mano,
a cavalcioni sulle spalle,
addormentati tra le braccia,
o soli.
Hanno attraversato cieli e climi, il torrido, l'umido, notti sotto zero,
e sono arrivati con lo stesso zaino e gli stessi pochi indumenti che
se non fosse per il lavoro dei volontari rischierebbero di
morire di freddo,
muoiono
di freddo. E caldo, e stenti.
In questa folle corsa per la vita non si sa quale ma si spera diversa,
quando diversa vuole dire nuova, rinata, più giusta, migliore.
Ora resta la paura del buio che li fa uguali con tutti i bambini del
mondo.
Ma superarla sarà un viaggio normale.
E' un giorno di sole,
di un indaffarato va e vieni tiepido, coloratissimo intorno a
una mamma diciottenne: lava il suo bambino appena nato con
l'acqua di una bottiglietta
di plastica.
Benvenuto,
questa è la vita,
ti piacerà.

Birth

Not yet, but a few minutes more and.
He will be.
One of more than 22,000 minors who arrive
from Albania, and from sub-Saharan Africa.
From Egypt, Eritrea, Ethiopia, Syria, the Nile, the Niger,
dragged by the hand,
piggy-back,
asleep in someone's arms,
or alone.
They've crossed skies and climates, torrid, humid, nights below
zero.
And have arrived with the same backpack and the same few articles
of clothing so that if it weren't for the volunteers they'd risk dying of
        cold,
They die
of cold. And heat and hardship.
In this crazy journey through a life they don't know but hope is
different
when different means new, born again, better.
Now only the fear of the dark remains making them equal with all
        the children of the world.
But overcoming it will be a normal journey.
It's a sunny day,
a busy one, coming and going, warm, highly coloured around an
eighteen-year-old mother: she washes her recently born child with
        water from a little plastic
bottle.
Welcome,
This is life,
You'll like it.

Abiterò in rue La Marne

Abiterò in rue La Marne.
Tra poco.
O in un'altra via dove la pioggia
crescerà nelle pause tra le tue parole.
Case vecchie
da lasciare per fare posto
alle nuove. Corrente staccata,
candele bruciate. Alle 3 del mattino,
in cammino con il risveglio, profuga provvisoria,
in una terra
non mia. 'La mia
è il letto,
quando ritorno dall'esilio del giorno e abito il mio corpo,
un viaggio lungo
di sola
andata
in una lingua anche lei
di transito.
Il cuore lasciato in sordina
a una madre lontana,
una sorella lontana,
una figlia lontana.
Le loro lacrime e le loro finestre.
Le loro vite vive.
Il loro di nuovo.
I livelli della felicità.
L'intermittenza col dolore.
Le cose da finire finiscono,
non finiscono anche quando son finite.

I will live in Rue la Marne

I will live in Rue la Marne.
Soon.
Or in another road where the rain
will grow in the pauses between your words.
Old houses
left behind to make space
for new ones. Current disconnected,
candles burnt out. At 3 in the morning,
waking up and walking, a temporary refugee,
in a land
not mine. 'Mine
is bed',
when I return from exile in the daytime and inhabit my own
body,
a long journey
alone
gone
in a language that is
also in transit.
Heart left secretly
with a distant mother,
distant sister,
distant daughter.
Their tears and their windows.
Living their lives.
Theirs once again.
Degrees of happiness.
With intermittent pain.
Things to be finished finish,
don't finish even when they are finished.

I passi per strade che ne sostituiscono altre,
in altri ordini.
Con altri nomi.
Difficili da imparare.
Perché diversi dal cuore.
Facili da imparare.
Perché li imparano i figli.
Loro che sono più vicini al domani.
Loro che lo guardano da pari e invece di aspettarlo lo inventano.
Lo giocano.
Lo studiano.
Ne fanno musica.
Hanno fame e sete di cibo,
di sole, di giustizia.
L'ho imparato. Che l'ombra parte,
il cuore rimane.
Il corpo viene qui per dormire,
toglie dal riflesso il kajal al chiarore della lampada,
prova a uscire
dal pavimento di mosaico dell'immensa stanza,
oltre la stazione dei taxi,
coi turisti che fanno la fila ma poi loro vanno a casa.
Diventa un confine dentro anche una voce lasciata indietro, il
            non potersi portare il volo delle cicogne,
il wolof delle canzoni,
i compagni, le loro vesti
per terra,
insanguinate.

The footsteps on the road that take the place of others
in a different order.
With other names.
Hard to learn.
Because different from the heart.
Easy to learn.
Because children learn them.
Those closest to the future.
Those who see it on the same level and instead of waiting for it
invent it,
play it,
study it,
make music of it.
They have a hunger and thirst for food,
for sun and justice.
I've learnt it. That the shadow departs,
the heart remains.
The body comes here to sleep,
removes kohl from its reflection by lamplight,
tries to go out
away from the mosaic floor of the immense room,
beyond the taxi station
with tourists who are queueing but then will go home.
It even becomes a border inside a voice left behind, unable to
          share the storks' flight.
The wolof of songs,
companions, their clothes
on the ground,
blood-stained.

Distacco.
E dopo svegliarsi.
Sto male.
Nella lingua materna dico:
'La mia febbre passerà col ghiaccio,
con tante limonate',
sul pavimento di mosaico di una delle tante stanze in viaggio,
terra di nessuno.
'La mia è il letto'
quando ritorno dall'esilio del giorno.
E cerco di non svegliare i fantasmi che dormono nei vetri.
Essere in transito mi ha insegnato anche questo,
a passare con leggerezza.
Alle 3 lavo il mio corpo,
il suo viaggio lungo di sola andata.
Cerco di farne la mia casa,
di insinuarlo con la forza di un sogno
in un Atlante in cui tutto è in movimento,
anche l'ospedale dove partorirò.
Ho aspettato tanto di essere qui.
Ora ci sono e ora le mie radici vengono dal futuro,
i miei figli scoprono il wolof nei clip che spopolano sul web
e i nomi che usano per cambiare la realtà
cambiano il futuro e il passato.
Loro sono spazio guarito in un nuovo paese tutte le volte che
          giocano,
che imparano un nuovo nome e ridono,
che si innamorano e studiano,
che si ricordano e il ricordo non è dolore ma radice,
che scoprono la città in cui sono arrivati e la abitano
e abitandola la diventano.

I disconnect.
And later wake up.
I'm ill.
In my mother tongue I say:
'My fever will go away with ice
and lots of lemonade',
on the mosaic floor of one of the many rooms on the journey,
nobody's land.
'Mine is the bed'
when I return from the day's exile.
And I try not to wake the ghosts who sleep in the windowpanes.
Being in transit has taught me this too,
to travel light.
At 3 I wash my body
whose long journey is just one way.
I try to make it my home,
to suggest it with the power of dream
In an Atlantis where everything is moving,
even the hospital where I'll give birth.
I've waited so long to be here.
Now I am and my roots come from the future,
my children will discover wolof in the clips that populate the web
and the names they use to change reality
change the future and the past.
They are the healed space in a new country every time that they
        play,
learn a new name and laugh,
fall in love and study,
remember and the memory isn't pain but root,
they discover the city they arrive in and sleep there
and living there become it.

Danzava tra le macerie e i buchi anneriti lasciati dalle bombe.
Non per un servizio o per soldi, la scheda del telefonino.
Le piace,
e è quello che vuole fare da grande.
Adesso il suo viaggio forse è finito chi lo sa? ma continua a danzare,
solo lo sfondo è cambiato,
è la Francia.
Ha quasi 15 anni e questo è quello che si legge nella sua intervista di
ieri:
 'Danzare è una gioia sottile,
ma devi farlo tutti i giorni.
Se salti un giorno
lasci fuori dalla tua vita dio.
Quando danzi e le bombe cadono,
e le fiamme incendiano le notti della tua città
tu pensi che quello che stai facendo non rimetterà nulla a posto,
ma non è così,
 facendolo
cambi i piani del mondo
e i tuoi'.

He danced between the rubble and the blackened holes left by
bombs.
Not from duty or for cash or a sim card for his mobile.
He likes it
and that's what he wants to do when he grows up.
Now his journey may be at an end, who knows? But he goes on
dancing,
only the backdrop has changed,
It's France.
He's nearly 15 and this was in the interview he gave yesterday:
'*Dancing is a fragile joy,*
but you must do it every day.
If you leave out only one day
you're leaving God out of your life.
When you dance and the bombs are falling
and flames set fire to the nights of your city,
you think that what you're doing won't put anything back in place,
but that's not right,
doing it
you change the world's plans
and your own.'

The Translator

Caroline Maldonado is a poet and translator living in London and Italy. Her poems have appeared in many journals and anthologies, most recently in *The Cry of the Poor* (2021). Her books include a poetry pamphlet *What they say in Avenale* as well as three books with Smokestack Books: *poems by Rocco Scotellaro,* co-translated with Allen Prowle *Your Call Keeps Us Awake, Isabella: Poems of Isabella Morra* and Laura Fusco's *Liminal.* Her full collection *Faultlines* is forthcoming in 2022.